il faisait chaud cet été-là

Du même auteur pour la jeunesse

L'enfant qui mangeait les nuages – album, illustr. Aurélia Fronty, 2006.
Mes yeux menthe à l'eau – roman zig zag, 2008.
L'envol du hérisson – roman zigzag, 2009.
Mon cœur n'oublie jamais – roman zig zag, 2010.
Un indien dans mon jardin – roman dacodac, 2010.
Le jour où j'ai abandonné mes parents – roman dacodac, 2011.
Le chapeau de Philibert – album, illustr. David Merveille, 2011.
Tout le monde veut voir la mer – roman zig zag, 2011.
L'invention des parents – roman zig zag, 2012.
Le problème avec Noël – roman zig zag, 2012.

Agnès de Lestrade vit en pleine campagne, au bord de la Garonne, à Barie (33).
Elle est auteur pour la jeunesse, mais aussi journaliste, auteur de jeux de société,
animatrice en arts plastiques et en musique.

Photographie de couverture : © Louise Markise

Une première version de ce texte a été publiée
dans le magazine Je bouquine, en août 2012.

doado

Agnès de Lestrade
il faisait chaud cet été-là

rouergue

Pour Olivette et Danette,
avec tout mon amour.

1. Partir avec toi

Tu te souviens, Violette, il faisait chaud cet été-là. Nous étions parties en vacances chez ta grand-mère, en Provence. C'était l'été de nos quatorze ans. Dans le train, tu chantais le dernier tube de Madonna. Tes yeux dorés fixaient le paysage qui filait par la fenêtre et toutes les cinq minutes, tu posais ta main sur mon bras :

– Tu es contente Blanche, dis, tu es contente ?

J'ai l'impression que c'était hier.

En quittant Le Havre, le ciel s'est mis à changer. Les nuages lourds ont laissé place au soleil du Sud qui se reflétait dans les champs. On sentait la chaleur à travers la vitre. La météo avait annoncé un été de canicule.

Bien installées dans le train climatisé, nous dévorions nos sandwiches au thon en buvant nos canettes de soda. C'est ce que j'aime dans les voyages. On peut s'attarder sur des petits plaisirs banals comme s'ils étaient les plus grands bonheurs du monde.

Sur le siège d'en face, un vieux monsieur s'était endormi. Un enfant, sans doute son petit-fils, jouait avec sa DS 3D. Les doigts crispés, il poussait de temps en temps un cri de victoire. Comment osait-il rompre le ronron régulier du train ? Comment osait-il déranger notre joie toute fraîche de début de vacances ? Tu l'as fixé intensément, espérant le faire taire et il t'a tiré la langue.

– Tu te prends pour qui, microbe ! tu as lâché d'une voix dure.

Ta mâchoire s'est serrée, tu as saisi son bras et tu l'as secoué violemment. L'enfant s'est mis à pleurer et sans ciller, tes yeux ont repris leur place dans le rectangle de lumière.

J'ai sorti un sachet de fraises Tagada de mon sac et je lui ai tendu. Tout en séchant ses larmes, il a plongé ses doigts dedans et tu m'as dit :

– Tu es trop bonne, Blanche, c'est ton seul défaut !

Tu as ri en regardant la bouche rouge de l'enfant et tu lui as proposé une partie de « ni oui ni non ». Nous avons fini le trajet au milieu de questions idiotes tandis que son grand-père continuait à somnoler paisiblement.

Après des heures, le train s'est enfin arrêté en gare d'Aix-en-Provence. Tu t'es dressée pour attraper nos valises et tu as posé un baiser sur la joue sucrée de ton nouvel ami. Violette-la-charmeuse !

Je te regardais tournoyer dans ta robe jaune et je me disais que ce prénom avait été inventé pour toi.

Violette… ça sent bon, ça virevolte, brille, étonne, égaie. Comme toi.

Moi, je m'appelle Blanche. Comme la page blanche, celle qu'on n'arrive pas à écrire. Comme les gens qui ont peur. Blanche, blême ou invisible, c'est pareil, non ? Je me suis toujours demandé ce que tu me trouvais.

Cette année, j'étais nouvelle dans ton collège. J'avais quitté l'école de mon quartier pour rejoindre le prestigieux collège Jean Renoir, section théâtre. Notre amitié est née parce que tu l'as voulue. Même dans mes rêves les plus fous, je n'aurais jamais imaginé que tu t'intéresses à moi.

Le premier jour, en entrant dans la cour, je n'ai vu que toi au milieu des autres. Tu étais si rayonnante qu'ils formaient un cercle autour de toi, te regardant agiter les bras, plisser les yeux et basculer le cou en arrière dans un grand rire. Tu parlais et ils t'écoutaient. Leurs regards te dévoraient comme s'ils pouvaient capter des miettes de ta présence magique.

Je n'aurais jamais osé t'aborder. Tu es venue vers moi, entraînant toute ta cour derrière toi. Tu m'as tendu une main franche et tu as dit :

– Je suis Violette. Et toi ?

J'ai senti mes joues s'enflammer. Mon gosier s'est rempli de ciment et j'ai murmuré :

– Blanche.

– Bienvenue, Blanche. Tu viens, je te fais visiter le collège ?

Tu as posé ton bras autour de mon cou et on ne s'est plus quittées. Tu m'as présenté les profs, tes amis, tes parents, ta grande maison de trois étages et tes deux chats. Parfois, le jeudi soir, après la répétition de théâtre, je restais dormir chez toi. Ton père rentrait tard. Ses horaires de cardiologue étaient élastiques.

– On ne le voit jamais, disais-tu. Mon père, c'est un courant d'air.

Nous mangions seules avec ta mère. C'était une femme blonde, élégamment vêtue. Elle travaillait à mi-temps dans un cabinet d'architecte. Au cours de ces repas du jeudi soir, je ressentais une sorte de malaise entre vous. Toi d'habitude si volubile, tu parlais peu. On entendait le bruit des fourchettes cognant les assiettes. Ta mère nous posait les questions d'usage auxquelles tu répondais du bout des lèvres. Vos regards s'évitaient. Je pensais aux repas chez moi, bruyants et joyeux. À la voix rocailleuse de mon père, à sa complicité avec ma mère, à nous les enfants qui parlions tous à la fois, à notre capharnaüm. Tu n'as jamais voulu venir chez moi. Tu disais que tu ne voulais pas déranger. Je ne sais pas pourquoi mais je ne t'ai jamais crue.

En quelques mois, tu es devenue ma meilleure amie. Aujourd'hui, je me demande encore pourquoi c'est moi que tu as choisie pour t'accompagner en Provence, et pas Augustine, Léa, Lou ou Pia. Tu n'avais que l'embarras du choix.

Mais je suis l'heureuse élue, mon sourire est grand et mon bonheur complet. C'est la première fois que nous serons ensemble aussi longtemps. Je sens que chaque jour sera une fête.

***

Ta grand-mère nous attend à la gare. Elle porte un large chapeau de paille et s'essuie discrètement le front avec son mouchoir en dentelle. Elle a le teint blanc de ceux qui fuient le soleil :

– Vous devez être Blanche ? me dit-elle en me serrant la main.

– Bravo Grand-mère, tu n'es pas encore gaga ! Je te présente donc Blanche, ma meilleure amie.

À cet instant, le regard de ta grand-mère se voile légèrement, mais tu n'y prêtes pas attention.

– Vous avez fait bon voyage ? demande-t-elle en t'embrassant.

– Heureusement que le train était climatisé ! Comment tu fais ? On crève, ici !

– Vous allez vous rafraîchir à la maison. Nous y serons dans un quart d'heure.

La maison de ta grand-mère est située tout en haut d'une colline dominant le petit village de Paï. Elle est en pierres rosées avec des volets verts ; des pots de lavande dégringolent des balcons. On dirait une carte postale.

– Vous connaissez la Provence, Blanche ? s'enquiert ta grand-mère en garant la voiture.

– Non, Madame.

Tu me donnes une bourrade :

– Eh, Blanche, ne sois pas timide !

Je fronce les sourcils pour que tu te taises.

– C'est ma grand-mère qui t'impressionne ? Je te jure, y'a pas de quoi ! Hein, Grand-mère ?

La tension entre vous est palpable. Aussi épaisse que l'air chaud qui nous colle à la peau. Elle me rappelle celle avec ta mère. Je rentre les épaules et je te suis sans faire de bruit.

Nous entrons dans la maison. Ses murs épais ont gardé la fraîcheur. Comme des tableaux, des dizaines de chapeaux sont accrochés un peu partout. On dirait des papillons déployant leurs ailes de soie. Je ne peux pas m'empêcher de m'exclamer :

– C'est trop beau !

Je m'approche pour caresser le tissu. Il est vaporeux, râpeux, doux selon les modèles. Il y a des chapeaux de toutes les tailles et de toutes les couleurs. Des voiles, des couvre-chefs, des bibis.

– Ma grand-mère est modiste, dit Violette. Elle travaille pour Jean-Paul Gaultier, tu sais, le grand couturier parisien.

Non, je ne sais pas. Mais je hoche la tête.

– Vous aimez la limonade ? demande ta grand-mère.

Tu me fais un clin d'œil et réponds à ma place :

– Oui… avec du gin dedans !

Je cherche ma respiration. Tout à coup, la journée de voyage me tombe dessus comme une massue et je me surprends à penser : « Un mois, ici ! Ça risque d'être long ! »

Ce matin pourtant, j'étais contente de partir. De quitter le restaurant de mes parents, de faire une « pause familiale ». Je suis l'aînée de six enfants : après moi, il y a Valentin, Côme, Paola, Marguerite, et Lili la benjamine. Mes parents travaillent dur. Et depuis que je suis petite, je les aide à la maison et parfois au restaurant. Pour moi, ce n'est pas une corvée. C'est naturel.

J'aime chahuter avec Lili, lire des histoires à Paola, me disputer avec Valentin, pousser Marguerite sur la balançoire. J'aime servir les grenadines au comptoir, parler avec les clients. J'aime les pichenettes tendres de mon père, les blagues de ma mère. Notre complicité est une forteresse.

N'empêche ! Des vacances avec toi, j'en rêvais !

– Blanche, viens voir la chambre !

Tu m'entraînes en haut d'un escalier en bois verni. La chambre est immense. Il y a deux grands lits. Je m'affale sur l'un des deux, au hasard.

Tu cries :

– Non ! Celui-là, c'est le mien !

Ta voix est tendue. Je suis trop fatiguée pour répondre.

Tu ouvres la fenêtre. L'air chaud entre ; on dirait qu'un géant nous souffle dessus. Tu annonces :

– Et voilà le clou du spectacle !

Tu pointes la main vers le jardin. Sous nos fenêtres, je découvre une magnifique piscine. Soudain, ma fatigue s'envole. Je n'ai qu'une envie : plonger dans l'eau vert émeraude.

– La dernière à l'eau a perdu !

On se déshabille en quatrième vitesse. J'enfile mon maillot noir avec Aréna écrit en grosses lettres blanches. Tu mets ton deux pièces jaune à volants, le dernier truc à la mode. Je me sens moche tout à coup. Mes jambes sont aussi blanches que de la craie. Je ne sais pas comment tu fais pour être déjà bronzée.

Tu me pousses gentiment :

– Allez, fais pas cette tête, Blanche ! Les vacances commencent, je te jure qu'on va en profiter !

***

Les premiers jours sont merveilleux. Le matin, tu me conduis à la rivière où tu avais l'habitude de pêcher avec ton grand-père. Tu me montres comment attraper un poisson. Puis comment on ôte la truite de l'hameçon sans lui faire mal. Tu la rejettes ensuite à l'eau dans un mouvement large de la main. Quand je te demande pourquoi pêcher si ce n'est pas pour manger le poisson, tu hausses les épaules.

– C'est comme si tu me demandais à quoi sert la vie ? À rien.

Nous passons des heures à regarder filer le courant. Souvent, nous emportons un pique-nique. Il y a toujours du jus d'ananas. Un jour, tu emportes aussi une bière pour toi. Tu brandis fièrement la canette et d'un air espiègle, tu dis :
– En cachette de Grand-mère, bien sûr ! La pauvre, si elle savait...
Je n'en bois pas. Je n'aime pas la bière.

Parfois, nous remontons le ruisseau. J'aime la sensation des galets glissants sous mes pieds. Et l'odeur vaseuse et poissonneuse. C'est comme un petit air frais, dans cet été de canicule.

Quelquefois, je t'observe. Quand tu ne sais pas que je te regarde, ton visage n'est pas le même. Il est plus ombrageux. Comme si le ciel bleu se couvrait soudain de gros nuages noirs. Comme si le tonnerre allait gronder, le vent souffler, la tempête se lever.

Certains jours, tu emportes ton journal intime et moi, mon carnet de croquis. Après le déjeuner, nous nous allongeons dans l'herbe, sous les arbres.

Nous n'avons pas besoin de parler.

2. Rencontre

C'est ce qu'on dit de l'amitié : qu'elle est capable de silence. Entre nous, c'est vrai. Nous sommes ensemble, chacune dans notre bulle ; toi de mots, moi de couleurs.

Ton cahier est bleu, légèrement délavé. Dès que tu l'ouvres, tu pars dans un autre monde. Tu noircis le papier et une sorte de rage s'empare de toi. Je me suis souvent demandé ce que tu écrivais. À te voir ainsi, penchée sur ton cahier, les lèvres serrées, la main crispée sur le stylo, je me dis qu'il y a là quelque chose de vital. Tu ne cherches pas tes mots ; ils jaillissent comme une source chaude. Est-ce que tu te brûles au passage ? Est-ce que tu te sens mieux, après ? Toujours est-il que tu retrouves ton sourire.

Pendant ce temps, je croque les arbres au fusain. Avec une obsession : capturer le vent pour le mettre sur la feuille. Comment dessiner le vent ? J'ai longtemps cherché et je cherche encore.

Un jour, alors que nous sommes allongées, plongées dans nos carnets, un garçon apparaît. Il semble avoir notre âge et porte une canne à pêche et un seau. Ses cheveux sont noirs, épais, sa bouche est rouge, presque vermillon. Je ne verrai pas tout de suite la couleur de ses yeux. Aujourd'hui, je le sais. Ils sont bleu ciel les jours de beau temps ; gris-noir, les jours d'orage.

Je ne suis pas un cœur à emporter ni à manger sur place. Ce serait plutôt même le contraire. Mon petit palpitant chéri n'aime pas battre trop vite. J'aime la sérénité. Douce, sécurisante. Mais ce jour-là, en le voyant, je sens mon cœur tambouriner, ma sérénité s'enfuir. J'essaie de la retenir.

– Ah, salut ! dit-il, sans doute surpris de trouver quelqu'un dans ce coin sauvage.

Tu poses ton cahier à côté de toi et tu te redresses brusquement. Tu plisses les yeux pour examiner l'intrus.

– Salut ! Qu'est-ce qui t'amène ?

Tu as cette façon directe d'aborder les gens. Je t'envie cette arrogance tranquille. Tu te moques de ce que l'on pense de toi. Et ta liberté charme et séduit.

– Et vous ? répond le garçon sans se démonter. Vous êtes qui ?

Tu réponds pour nous deux :

– Violette et Blanche, deux jeunes et jolies vacancières, prêtes pour LA grande histoire d'amour !

Je rougis et te pousse du bras.

– Je m'appelle Romain, poursuit-il. Enchanté.

Romain tient dans sa main un morceau de bois qu'il taille avec un canif. Tout en parlant, il racle avec régularité la lame sur le bout de branche. Il me regarde :

– Pourquoi tu ne dis rien ?

Tu éclates de rire :

– Elle est anglaise ! Elle ne comprend rien.

Je t'en veux de te servir de moi pour faire ton numéro. Mais je suis trop tarte pour répliquer.

Romain ne me quitte pas des yeux. Il me sourit. Je sens la sueur glisser lentement le long de mes tempes.

Mon cœur est en train de passer la quatrième. Je respire très vite. Pour me donner une contenance, je prends mon carnet de croquis. Romain s'approche.

– *Very beautiful* ! dit-il.

Cette fois, tu pouffes de rire :

– Mais non, nigaud ! Elle n'est pas anglaise. Elle est timide, c'est tout.

J'inspire à fond :

– C'est normal ! Tu parles pour deux.

Je me tourne vers Romain.

– Je m'appelle Blanche et je suis enchantée, moi aussi.

Tu te renfrognes :

– Si je gêne, dites-le tout de suite.

Tu ne sais pas comment on fait quand on n'est pas dans la lumière. Tu as l'habitude d'être la vedette, celle qu'on regarde et qu'on admire. Est-ce pour ça que tu m'as choisie ? Parce que je sais rester dans l'ombre ?

– Bon, tu viens Blanche, il faut qu'on rentre !

Je lance :

– Bonne pêche, Romain. À demain.

Sur le chemin du retour, tu prends une voix niaise pour répéter :

– Bonne pêche, Romain, à demain…

Je fixe mes chaussures.

– Tu es méchante !

Tu ne tardes pas à te défendre :

– D'où tu tiens ça ? Je ne suis pas méchante ! Je suis ton amie et je te mets en garde. Tomber amoureuse en été, c'est 100 % de chances de souffrir !

– Comment tu le sais ?

– L'expérience, Blanche ! L'expérience.

Je décide que t'en vouloir me gâcherait les vacances. Je souris :

– Raconte !

Mais tu ne réponds pas.

Le soir, au dîner, ta grand-mère annonce que demain, Robin, ton petit-cousin, arrive. Que ses parents le déposeront à l'aube.

– Oh non, pas lui !

– Dis donc, Violette ! Qu'est-ce qui te prend ?

– C'est un vrai pot de colle, Grand-mère !

– C'est parce qu'il t'aime !

Tu lèves les yeux au ciel. Comme si cette idée t'était étrangère.

– J'ai un service à vous demander, continue ta grand-mère, imperturbable devant ton changement d'humeur. Pourriez-vous le garder demain après-midi ? J'ai un rendez-vous chez l'endocrinologue et je ne peux pas annuler.

Puis elle me fixe d'un regard étrangement intense :

– Je peux compter sur vous Blanche ? Vous me donnez l'impression d'être quelqu'un en qui on peut avoir confiance. Sinon, je peux demander à mon amie Madeleine de venir...

– Non Madame, je réponds. Il n'y a pas de souci.

J'ai tellement l'habitude de m'occuper de mes frères et sœurs, qu'un tout seul ne me fait pas peur.

Tu te lèves et rassembles bruyamment les assiettes :

– D'accord, mais on l'emmènera avec nous à la rivière... Blanche a rendez-vous avec un amoureux ! Vu qu'elle n'a jamais embrassé un garçon, elle ne peut pas manquer ça !

La colère entre en moi. J'essaie de la contenir. Je me crispe sur ma fourchette.

– Je préfère que vous restiez ici. Robin vient juste d'apprendre à nager, il sera content de profiter de la piscine.

Tu soupires :

– Quel dommage ! Hein, Blanche ?

***

Le soir, dans notre chambre, règne un silence pesant. Je ne te reconnais pas. Je ne comprends pas ce qui t'arrive. Toutes ces sautes d'humeur, ces piques que tu lances, cette agressivité…

Au collège, tu n'es jamais comme ça. Tous tes bulletins le disent, tu me les as montrés : « Violette est agréable en classe. Elle est enjouée et participe au cours. Elle aide ses camarades. C'est une élève très appréciée par l'ensemble des professeurs ». Nous t'avons même choisie comme déléguée de classe. Tu prends ton rôle très à cœur, n'hésites pas à téléphoner à nos camarades pour les aider à régler leurs problèmes. Tu es présente, attentive, à l'écoute. Bref, tu es parfaite.

Mais aujourd'hui, la peinture s'écaille et le mur se fissure. Où est la Violette que je connais ? J'ai l'impression que tu es double. Est-ce que tu joues un rôle ?

– Tu m'en veux ? Pour ce que j'ai dit… sur toi et Romain ?

Ta voix est douce. Presque timide.

– Oui.

Maintenant, ta voix supplie :

– Tu pourras me pardonner ?

Je ne réponds pas. Je crois entendre un sanglot étouffé. Il fait nuit. Nous avons éteint nos lampes de chevet. Je devine ta silhouette allongée dans le lit d'à côté.

Soudain, tu es secouée de tremblements. Entre deux soubresauts, tu parviens à dire :

– Je crois que sinon, je ne le supporterai pas !

Lentement, je me lève et me dirige vers toi. Ma colère est tombée d'un seul coup. Je pose ma main sur ton dos.

– Je te pardonne parce que tu es mon amie.

Tu te jettes sur moi et te serres contre ma poitrine. Où est passée Violette, l'arrogante ? Je tiens un bébé entre mes bras.

Tu te calmes peu à peu, puis tu te recouches et tu finis par t'endormir.

D'où te vient cette rage ? Ma question reste accrochée aux aiguilles du réveil. Et elle tourne, elle tourne sans s'arrêter. Quand je parviens enfin à trouver le sommeil, le soleil vient juste de se lever.

***

– C'est toi, Blanche ?

Je me réveille en sursaut. Le petit garçon qui se tient devant moi n'a pas plus de cinq ans. Il a des cheveux blonds et bouclés et un nez en trompette.

La lumière entre brusquement dans la chambre. Je me frotte les yeux.

– Et toi, qui es-tu ?

– Robin. Je suis venue chez Grand-mère pour l'aider.

– L'aider à quoi ?

– Ben, à arroser Grand-père, tiens !

Je suis tombée chez les fous.

Je répète :

– Arroser Grand-père ?

– Oui. Quand Grand-père est mort, Grand-mère l'a planté dans le jardin, avec les fleurs. Alors maintenant, il faut l'arroser. Et lui parler aussi.

– Tu aimais beaucoup ton grand-père ?

Ses yeux étincellent :

– Oh oui ! Tu sais, c'est lui qui m'a appris à pêcher ! Soudain, tu déboules dans la chambre avec un plateau :

– Le petit-déjeuner de madame est servi !

Ça sent bon le café et les croissants chauds. Tu as le visage reposé. Plus de traces de chagrin. Je ne peux pas m'empêcher de guetter dans ton regard le moindre changement. Et à partir de maintenant, ce sera comme ça, jusqu'à mon départ.

Tu nous sers deux tasses de café et tu mords dans ton croissant. Quand tu as fini, tu plonges tes mains sous mes bras pour me chatouiller. Je hurle, mais tu t'acharnes. Je balance mes jambes dans tous les sens pour t'éloigner. Nous rions comme des folles. Robin s'en mêle. Il me monte dessus, essaie de te défendre et tu le repousses brusquement :

– Laisse-nous tranquille, microbe ! Blanche est mon amie, pas la tienne !

J'entends les pas de Robin dans le grand escalier de bois. Puis ses pleurs étouffés. Pourquoi es-tu si cruelle avec lui ?

En début d'après-midi, ta grand-mère nous annonce qu'elle s'en va. Et comme la veille, elle me fixe :

— Je compte sur vous pour surveiller Robin, dit-elle en montant dans sa voiture. Je ne serai pas longue.

Robin lui envoie un baiser, depuis son petit bateau pneumatique :

— Youpi ! Je reste avec mes cousines !

On dirait que Robin m'a déjà adoptée.

— À tout à l'heure, mon lapin. Et garde bien ta bouée !

Nous sommes allongées sur la terrasse en bois qui borde la piscine. L'odeur de la crème solaire envahit l'air chaud. Tu as mis le chapeau de paille de ta grand-mère et tu m'as prêté un bob rouge. Tu me regardes en riant.

— C'est celui de Grand-père ! Il te va comme un gant.

Je ne me vexe pas pour si peu. Et puis, tu es dans de si bonnes dispositions, pas question de gâcher ça. Je te demande :

— Ton grand-père est mort depuis combien de temps ?

Je regarde le jardin qui s'étend sous mes yeux et je m'interroge : « À quel endroit a été planté le grand-père au bob rouge ? »

— Il y a deux ans. C'était l'été. Il est parti faire du vélo, comme d'habitude. Et quand il est revenu, il est mort. Les pompiers n'ont rien pu faire. « Crise

cardiaque causée par un effort sous une forte chaleur. » Voilà comment on raye quelqu'un du monde
des vivants. En une phrase, pfuitt ! Disparu !

– Tu l'aimais beaucoup ?

– C'était le seul qui me comprenait.

Violette la lumineuse s'éloigne. La tumultueuse
approche, je le sens, à pas de géant.

– Violette, Blanche, regardez ! Je sais plonger !

Robin saute dans l'eau en nous éclaboussant.
Violette se redresse, furieuse. Son regard est comme
un silex. Dur et tranchant.

– Tu ne peux pas faire attention, non ?

Je voudrais arrêter ta colère avant qu'elle ne t'enva-
hisse. La colmater. Dompter l'animal sauvage. Parce
que je sens qu'elle t'échappe, à toi aussi.

Mais je ne trouve pas les mots. Depuis que nous
sommes ici, j'ai perdu mes repères… Je crois que tu
me fais peur.

– T'as déjà imaginé que tu tuais quelqu'un ?

Ta question tombe comme un couperet.

– Euh… non.

– Même pas ton père ?

Ma voix tremble :

– Mon père ? Pourquoi mon père ?

– Parce qu'il te fait trimer comme une esclave dans
son restau de merde ! Voilà pourquoi !

Soudain, j'ai du mal à respirer. Mon souffle est aussi
chaud que l'air. L'air et moi, nous sommes à la même
température. Je ne sens plus les limites de mon corps.

– Moi, j'imagine souvent que je tue le mien.

Ton père, je ne l'ai vu que trois fois. C'est un bel homme avec une voix grave, un air gentil et sérieux. C'est un chirurgien cardiaque très réputé au Havre.

– Et tu sais pourquoi je rêve de le tuer ?

Je ne réponds pas. Mon silence t'indiffère. Rien ne t'arrête.

Tu continues.

– Parce que ça ne lui suffit pas de trifouiller dans le cœur des gens, il faut aussi qu'il trifouille dans le mien !

Robin crie :

– Violette, Blanche, regardez ! Je nage sous l'eau !

Tu hoches la tête, indifférente. Tu es ailleurs. Sur quelle planète ?

Soudain, j'ai envie de parler à quelqu'un que j'aime. Je me sens comme une étrangère dans cette Provence trop bruyante, avec les grillons jour et nuit, trop chaude aussi. J'ai envie d'être chez moi, au Havre, dans ma chambre qui donne sur ce « restau de merde » comme tu dis.

Je me lève et jette le bob par terre. La rage est contagieuse.

– Qu'est-ce que tu fais ?

Dans ta voix, j'entends un début de panique.

– Je rentre.

Dans la maison, la fraîcheur m'enveloppe. Je me sens un peu mieux. Je me dirige vers le téléphone et compose le numéro du restaurant.

– Restaurant « Chez Blanche », j'écoute ?

– Papa… c'est moi, c'est Blanche.

– Ma chérie, ça va ?

– Pas trop…

Des larmes coulent sur mes joues. Elles sont chaudes.

– Papa ? Je voudrais rentrer à la maison.

C'est sorti tout seul. Je préfère le vacarme tendre de ma famille aux vacances avec Violette. Chez moi, je me sens en sécurité, aimée, comprise. Immergée dans un voile de vapeur bienveillant.

Pas ici. Ici, je suis oppressée. Je me sens prisonnière.

Et puis, je te vois. Tu entres sans faire de bruit et tu me regardes. Et ton regard suffit à me donner des frissons.

– Tu veux partir ?

Tu me saisis par les épaules et tu me secoues.

– Papa, il faut que je raccroche ! Je te rappelle !

3. Ta maladie

En reposant le combiné, j'ai la tête qui tourne. Mon corps se met à tanguer. Je me retiens au fauteuil du salon de ta grand-mère pour ne pas tomber.

– Après tout ce que j'ai fait pour toi, tu veux partir ?

Tes yeux tournent dans tous les sens. Tu hurles :

– Tu veux m'abandonner, toi aussi ?

Tes mains remontent vers mon cou. Je veux crier mais c'est une autre voix qui sort de ma bouche. Une petite voix d'enfant.

– Robin !

Je me précipite dehors. Ton cousin flotte comme un oreiller dans l'eau verte de la piscine. Sa bouée a basculé en avant et Robin a la tête sous l'eau.

Je l'attrape par son maillot et le hisse sur le bord en pierre. Il a les yeux exorbités, mais il respire. Je l'allonge sur la terrasse et j'appuie sur son thorax. Aussitôt, l'eau jaillit de sa bouche comme un geyser. Il tousse, avant de dire :

– Je m'es noyé !

Il sourit mais sa mine pâle et fripée parle pour lui. Le pauvre chou a eu la trouille de sa vie. Je le prends contre moi, caresse ses cheveux mouillés. Je tremble autant que lui. Alors, pour nous calmer tous les deux, je murmure : « Une souris verte qui courait dans l'herbe… », comme je l'ai fait si souvent pour Lili, Marguerite et Paola. Le cœur de Robin bat très fort. À moins que ce ne soit le mien. Doucement, nos battements se font plus réguliers.

Quand ta grand-mère arrive, Robin a retrouvé son calme. Il court dans ses bras, se serre contre elle sans la lâcher :

— Je m'es un peu noyé, grand-mère ! Mais Blanche m'a sauvé !

Tu tentes d'amoindrir les faits.

— Il a bu la tasse… mais on le surveillait… comme le lait sur le feu. Tout ce ramdam pour trois gouttes d'eau avalées !

Tu ne trompes que toi. Les yeux de ta grand-mère te fixent sans complaisance.

— Quoi, tu ne me crois pas ? Tu fais confiance à ce moucheron ?

— Violette, tais-toi ! ordonne ta grand-mère.

Tu brames :

— C'est toujours comme ça ! C'est moi la menteuse, la voleuse ! De toute façon, tu ne m'as jamais aimée !

Tu grimpes l'escalier qui mène à notre chambre et tu claques la porte.

— Venez, dit ta grand-mère en me poussant vers le salon. Je vais nous servir un thé glacé.

Assise devant son verre de thé, ta grand-mère parle à mi-voix :

– Violette a toujours été comme ça, depuis qu'elle est petite.

Je ne comprends pas.

– Comme ça ? C'est-à-dire ?

– Ultra-sensible, angoissée. Violette ne vous a pas dit qu'elle était… malade ? Avec des sautes d'humeur… le mot est faible… Son père l'a emmenée voir les plus grands spécialistes. Aucun n'a pu nommer vraiment sa maladie. Vous savez Blanche, on ne sait pas encore tout sur la chimie du cerveau.

Après une gorgée de thé, ta grand-mère enchaîne :

– Violette a tort de dire que je ne l'aime pas. Je l'aime. La preuve, elle est ici. Mais c'est… difficile. Je veux soulager ses parents. Qu'ils se reposent un peu. Mais… je ne sais pas toujours m'y prendre. Elle est malade après tout, ce n'est pas de sa faute.

Je pose mon verre, pour ne pas le faire tomber.

– Mais… au collège, ça ne se voit pas !

Je te revois dans la cour, leader de notre groupe de copains. Pleine d'esprit et de joie de vivre. Comment fais-tu ?

– Je sais. Sa maladie la sauve, en quelque sorte. Sa grande intelligence aussi. Mais sa personnalité se dédouble… Sa violence est tapie, elle somnole, endormie par les médicaments. Parfois, elle prétend qu'elle n'est pas malade et refuse de les prendre. Alors la maladie l'envahit. Mais on l'aide comme on peut. Parfois, elle est vraiment mieux. Son père m'a dit qu'elle était stable avant de partir. C'est important pour elle d'avoir une amie comme vous.

Ta grand-mère caresse la tête de ton cousin blotti sur ses genoux.

– Je ne l'ai jamais vue prendre de médicaments.

– Elle a honte de sa maladie et elle se cache. Peu de gens savent, en fait.

Violette-violente. Je cherche les traits d'union. Dans ma tête, tout s'embrouille. Je n'ai plus d'image devant les yeux. Tes contours s'effacent. Tu deviens floue, invisible. Blanche. De toi et moi, qui est la plus blême ?

Tout à coup, je ne te regarde plus d'en bas. Tu n'es plus celle que j'admire. Mais celle que je dois protéger.

Je monte l'escalier et frappe à la porte.

– N'entrez pas ! Je ne veux voir personne ! Vous êtes tous mes ennemis !

– Violette, c'est moi, Blanche ! Je voudrais te parler.

La clef tourne lentement dans la serrure.

Tu es encore en maillot de bain. Tu sens bon la crème solaire. Mais ton visage est défait et tes yeux sont opaques.

J'entre doucement pour ne pas te faire fuir. Les volets de la chambre sont fermés. J'ouvre la fenêtre pour laisser entrer la lumière.

– Non, ferme cette fenêtre ! Je veux rester dans le noir. Le noir est mon meilleur ami.

Je prends ta main.

– Pourquoi tu ne m'as pas dit que tu étais malade ? C'est pas une honte. Violette, c'est pas de ta faute...

– Je voudrais être comme tout le monde !

Ta tête est enfouie dans l'oreiller. Ta voix me parvient, étouffée.

– Mais Violette, personne n'est comme tout le monde !

– J'ai honte d'être comme ça. Je n'ai aucun pouvoir sur cette fichue maladie. Je peux juste la faire décaniller à coups de médocs !

Tu sors ta tête de l'oreiller pour murmurer :

– Tu ne diras rien ? Jure-moi que tu ne diras rien ! C'est un secret, personne ne doit savoir !

Tu me regardes avec des yeux de chien battu :

– Blanche, donne-moi une dernière chance ! Je t'en supplie, ne pars pas !

Je ne dis rien.

– On retournera à la rivière, tu verras Romain et je vous laisserai tranquilles. Je ferai tout ce que tu veux mais, s'il te plaît, ne pars pas !

À ce moment précis, j'ai pitié de toi. Ton arrogance a disparu avec ton chagrin, il ne reste rien de la flamboyante Violette. Tu ressembles à un pauvre petit tas de chiffons.

– C'est d'accord, Violette.

Tu m'embrasses en pleurant.

Mon père rappelle dans la soirée. Je lui dis que j'ai eu un petit coup de blues, mais que maintenant, ça va mieux ; qu'il ne s'inquiète pas et qu'il embrasse maman et mes frères et sœurs pour moi.

Quant à Robin, ses parents sont venus le chercher.

***

Le lendemain matin, une odeur de gâteau au chocolat nous réveille de bonne heure. Tu te lèves brusquement :

– Ouh là là ! C'est l'anniversaire de Grand-mère ! J'avais complètement oublié !

Tu te jettes sur ton short et ton tee-shirt et tu te précipites dans l'escalier. J'enfouis ma tête sous le drap, je bâille et je me rendors.

Quand je descends à la cuisine, deux heures plus tard, tu es en pleine action. Sur la grande table de la salle à manger, il y a des légumes coupés en bâtonnets, des rôtis, des saucisses, de la pâte à pizza, des olives, de la sauce tomate. Tu m'accueilles avec un grand sourire.

– Blanche, prends un café et viens t'asseoir !

Dehors, ta grand-mère installe les tables sur la pelouse.

– C'est la tradition. Chaque année pour son anniversaire, Grand-mère réunit ses voisins et ses amis.

On sera une quarantaine. En général, on se marre bien.

Tu me lances un épluche-légumes :

– Tu m'aides ?

Pendant toute la matinée, nous faisons des quiches, des pizzas, des roulés à la saucisse. Nous coupons des dizaines de tranches de chorizo, des choux-fleurs, des poivrons. Ta grand-mère surveille le chantier de loin :

– Ça va, les filles ?

Elle pose un baiser sur ta joue. Tu la serres contre toi. Je respire. Je connais la tendresse, c'est de famille. Je m'y sens bien mieux qu'au milieu des conflits.

Après le déjeuner, tu me proposes de faire un tour à la ville voisine.

– J'ai pas de cadeau pour Grand-mère ! Une demi-heure de vélo, ça te fait pas peur, j'espère ?

Nous voilà parties en plein cagnard avec quatre gourdes remplies d'eau fraîche.

Au premier virage, je souffle déjà. Le sport, c'est vraiment pas mon truc. Toi, tu files devant, légère comme un oiseau.

En passant devant l'église de Païe, nous croisons un garçon de notre âge. Il est assis sur son scooter, moteur éteint et il a l'air d'attendre quelqu'un. Ses cheveux sont très blonds, presque blancs. Ses yeux sont bleu turquoise. Je ne savais pas qu'on trouvait autant de beaux gosses par ici !

Quand nous arrivons à sa hauteur, au lieu de nous saluer, il te fixe. Son regard est ironique.

– Tu le connais ?

Tu secoues la tête :

– Oh, c'est Alban, un péquenaud du coin ! Rien d'intéressant, crois-moi.

Ta voix est désinvolte, mais ton visage est cramoisi. C'est peut-être la chaleur. Une étrange lueur dans tes yeux me fait penser qu'il y a autre chose. Un amour de vacances qui a mal tourné ? Je n'ose pas te poser la question. Depuis que nous sommes ici, j'ai l'impression de marcher sur des œufs. Qu'un mot en trop peut te faire basculer dans une colère froide.

Une demi-heure plus tard, nous garons nos vélos devant une boutique de fringues. Pendant que je regarde les maillots de bain d'un air distrait, tu choisis un foulard en soie pour ta grand-mère.

– Qu'est-ce que t'en penses, Blanche ?

Tu places le foulard autour de ton cou et tu te mets à tourbillonner, comme ça, au milieu des clientes. Je voudrais être une souris pour disparaître dans un trou. Je chuchote :

– Oui, c'est bien, prends-le !

Tu attrapes un maillot de bain deux pièces à volants orange et tu sors négligemment un billet de cent euros de ton porte-monnaie. La vendeuse emballe le foulard dans un beau papier argenté et nous sortons.

Tu me tends la petite poche qui contient le maillot :

– Tiens, c'est pour toi ! Cadeau !

Je suis partagée entre la joie de jeter mon horrible maillot Aréna et l'envie de refuser. Tu as toujours lu en moi comme dans un livre ouvert et tu me lances :
– C'est que de l'argent, Blanche ! Sois pas gênée pour si peu. Et puis, n'oublie jamais que tu es ma meilleure amie. Et une meilleure amie, ça n'a pas de prix ! Dans ma tête, tes mots sonnent comme un contrat définitif que tu aurais signé toute seule.

Nous reprenons la route de Paï. J'ai mal au cœur. La pente est raide et découpe ma respiration en morceaux. Quand nous arrivons enfin, je suis liquide. Trempée de la tête aux pieds. La Provence transpire à l'intérieur de moi. Sans réfléchir, je me jette dans l'eau verte de la piscine et je n'en ressors plus, jusqu'au soir. Vers 20 heures, les premiers invités arrivent. Ils ont des bouquets de fleurs dans les bras, des bouteilles de champagne et des paquets cadeaux volumineux. Ils s'appellent « Ma chérie » et se serrent longuement dans les bras : « Mais, tu as encore rajeuni ? Tu me donneras ta recette ! »
J'ai mis ma plus belle robe, la rose pâle. Avec toutes ces gravures de mode autour de moi, je me sens comme un éléphant dans un magasin de porcelaine. Ici, il y a un sacré paquet d'argent au mètre carré. Des bagues en or, des diamants. Des tenues brodées de perles. Des chapeaux extravagants qui ne viennent pas de chez Tati, c'est le moins qu'on puisse dire. Pourtant, chez Tati, j'en trouve des trucs.

Je crois tout simplement qu'on n'est pas du même monde. Chez moi, on est propres, bien coiffés, les vêtements bien repassés. C'est notre seul tralala. Mes petites sœurs ont hérité de mes sapes un peu râpées et pas de la dernière tendance. Mais à leur âge, elles s'en fichent. Heureusement que je suis l'aînée. J'ai le privilège de choisir mes fringues. Mes parents disent que les marques, c'est de la poudre aux yeux. Qu'on a pas besoin de ça pour être soi. Bon, ça se voit qu'ils sont pas dans mon collège. Leurs principes ne résisteraient pas une seconde à la loi de la cour. Mes parents ont beau faire le maximum pour nous, ils ne comprennent pas tout.

Tu me tends un verre de punch.
— Tiens, Blanche, ça t'aidera à te détendre !
Je n'ai pas l'intention de boire d'alcool, mais tu avales ton verre sans même reprendre ta respiration. Je fronce les sourcils, m'apprête à te demander pourquoi tu bois, mais tu n'écoutes pas. Je crois d'ailleurs que tu n'écoutes personne. Alors, comme si tu lisais dans mes pensées, tu dis :
— Ce punch, c'est un faux cocktail : dix litres de jus d'orange et deux cuillères à soupe de rhum. Elle n'est pas folle ma grand-mère ! Heureusement que je connais sa planque à whiskey !

Je sens mon ventre monter et descendre. Je dois garder un œil sur toi. Ne pas te lâcher.

Les amis de ta grand-mère t'embrassent gentiment. Mais je sens dans leurs gestes de la retenue. Ils ne te regardent pas dans les yeux. On dirait qu'ils te fuient du regard. La musique est forte, les gens se mettent à danser. Je t'observe de loin. Tes pupilles sont dilatées. Je connais cet air perdu, dans le vague. Les jeunes qui traînent en bas de mon immeuble ont exactement le même. Pourtant je ne t'ai pas lâchée. Sauf quand tu es allée aux toilettes. Oh mon dieu, les toilettes ! Une excuse bidon. Je me sens impuissante. Comme un garde du corps sans arme.

Je ne sais pas quoi faire de ma peau. Tu es là, sans être là. Je me sens tellement seule. Alors, pour garder une contenance, je me bourre de tranches de rôti. J'ai la bouche pleine, ce qui m'évite de répondre aux questions polies des amis de ta grand-mère.

Soudain, la musique s'arrête. Je pense que c'est l'heure du gâteau et qu'ensuite, je pourrai rejoindre mon lit. Je commence à respirer...

Mais c'est toi qui apparais. Sur la tête, tu as le dernier chapeau de ta grand-mère, celui qu'elle est en train de finir pour le grand couturier parisien et qui porte encore quelques épingles.

Tu grimpes sur la table recouverte des restes du buffet. Tes talons s'enfoncent dans les tranches de saucisson, écrasent les fougasses entamées, massacrent les pizzas. Tout le monde te regarde tanguer dans ta robe rose fuchsia. Les yeux posés sur toi ne sont pas ceux des collégiens de Jean Renoir. Non. Ceux-là sont inquiets. Il y a du gris, du sombre dans leurs reflets. Tu titubes un peu et puis tu te mets à chanter. Crier serait le mot juste. Ta voix est éraillée. Tout en vociférant, tu commences à te dévêtir. Tu lances le chapeau plein d'aiguilles et tu enlèves ta jupe en soie. Ta grand-mère est blanche comme une morte. On dirait qu'elle va s'évanouir. Avant qu'elle ait pu faire le moindre geste, tu t'écroules au milieu des restes.

La fête est finie. Elle ne finit pas comme elle avait commencé. Dans les « Ma chérie » et autres surnoms du genre. À cet instant précis, ce serait plutôt des « Ma pauvre », « Comme je te plains », « Je ne voudrais pas être à ta place ». Les masques sont tombés. Les gens, apparemment si délicats se sont transformés en faux consolateurs. Yeux rouges et airs accablés. C'est sûr, ça leur va moins bien au teint.

Ils n'ont qu'une envie : fuir.

En même temps, je les comprends.

Peu à peu, les invités s'éparpillent. Même les chapeaux extravagants semblent ratatinés. Tout ce qui brillait, il y a encore quelques heures, est terne et sombre. Certains rejoignent leur voiture, d'autres commencent à ranger. Si j'étais ta grand-mère, après un désastre pareil, je saurais reconnaître mes amis.

Après t'avoir hissée dans ton lit avec l'aide d'un voisin, ta grand-mère n'a plus du tout le cœur à rire. Je lui propose de rester avec toi pour qu'elle aille souffler ses bougies. Mais il n'y a plus de bougies. Et presque plus personne pour applaudir un anniversaire mort sous tes talons.

Ta grand-mère te regarde tristement. Silhouette repliée entre les draps, tu nous fais franchement pitié.
– Pourtant, mon punch n'a pas plus de pouvoir que de l'eau. Comment elle a fait pour se mettre dans cet état-là !
J'ai envie de parler de la planque à whiskey. Mais quelque chose me retient. Je ne suis pas une balance et pourtant, je devrais.

Puis elle me remercie en posant sa main sur mon bras et elle referme doucement la porte de la chambre. Je reste là, à te regarder dormir. Il n'y a plus aucune lumière autour de toi, personne pour t'admirer. Ici, dans cette belle région de Provence, c'est ton ombre qui commande.

Je finis par me coucher, épuisée. Tes cauchemars me réveillent. À intervalles réguliers, tu hurles :
– Au secours, il va me tuer !
Tu essaies de te lever… Je te parle doucement pour t'apaiser et tu te recouches, les yeux hagards. Puis tu recommences.

Je ne sais plus où j'en suis. Depuis quelques jours, je sursaute au moindre bruit, je guette toutes tes réactions. Je m'accroche aux mails de mes parents et de Valentin comme à une bouée de secours. Le soir avant de m'endormir, je les relis. Je pleure devant leurs mots tendres et je ris devant les dessins de monstres dessinés par Lili, ma petite sœur.

Je ne peux pas m'empêcher de penser qu'un monstre, j'en connais un. Et qu'il dort à côté de moi.

***

Tu restes couchée toute la journée du lendemain. J'en profite pour lire sous le grand olivier au milieu du jardin. Je retrouve un peu de paix et de force. J'aide ta grand-mère à ranger et nettoyer. Elle a le dos un peu courbé et des cernes noirs sous les yeux. De temps en temps, elle me sourit, mais son sourire est chagrin. En fin d'après-midi, elle m'envoie au village acheter le pain. Je marche d'un bon pas. La nature est luxuriante malgré la sécheresse. La lavande au bord du chemin sent bon le sucre. J'en cueille un brin pour l'amener aux parents.

Alors que je sors de la boulangerie un gros pain campagnard sous le bras, le garçon aux cheveux blancs, celui que j'avais croisé avec toi devant la boutique de fringues, m'aborde :

– Salut !

– Salut !

– T'es une copine de Violette ?

Je hoche la tête.

– Sa meilleure amie, je parie ?

Je me demande où il veut en venir avec ses questions.

– Fais gaffe, cette fille est complètement tapée !

Je me bouche les oreilles pour bien lui montrer que le sujet est clos.

Je poursuis mon chemin et il me court après. Je sens son souffle dans mon cou.

– Tu connais le point de vue d'Isto ?

Je connais. Violette me l'a montré le lendemain de notre arrivée. C'est un endroit pour admirer la vue qui s'étend sur les montagnes.

– L'année dernière, Violette a essayé de me pousser du haut des rochers.

Il relève brusquement sa manche et me fourre son bras sous le nez. Juste au-dessus de son poignet, la peau fait comme une petite rigole de chair rosée.

– Je venais de lui annoncer que je la plaquais.

Il regarde le bout de ses bottes pointues.

– On a eu une petite histoire tous les deux... mais je voulais plus la voir. Elle a trop un pète au casque !

La sueur dégouline sur mon front. Je m'arrête et me tourne brusquement vers lui :

– Je rêve ! T'es en train de me dire que Violette a tenté de te tuer ?

J'éclate d'un rire nerveux.

– Et dis-moi, pourquoi t'as pas porté plainte ?

Il baisse les yeux. Ses mains se tordent.

– J'étais sûr qu'on me croirait pas ! Et je serais passé pour quoi, moi, au village ? Me faire ridiculiser par une fille ! Ça m'aurait suivi jusqu'à la vieillesse, un truc pareil ! J'ai préféré me taire.

Il me fixe intensément. Sa voix me supplie :

– Mais toi, tu me crois ?

Il pose sa main sur mon bras. Je me dégage et je me mets à courir aussi vite que je peux. Derrière moi, je l'entends crier :

– Tu me crois pas ? Tu verras !

Quand j'arrive chez ta grand-mère, j'ai du mal à reprendre mon souffle. Je pose le pain sur la table et je m'enferme dans la salle de bain. Puis je laisse l'eau froide de la douche emporter tous mes doutes.

4. En danger

Le soir, je te rejoins dans la chambre. Tu es réveillée et tes joues ont retrouvé leurs couleurs. Apparemment, tu ne te souviens plus de rien.

– Il paraît que je me suis très très mal comportée... Je te demande pardon, Blanche.

Ta voix est douce, humble.

– C'est à ta grand-mère que tu dois demander pardon. Pas à moi.

– C'est fait. Mais toi, Blanche, tu m'en veux ?

Devant mon silence, tu poursuis :

– Je te promets que je ne recommencerai plus. Plus jamais ! Fini le whiskey. Fini les colères. Je te le jure, Blanche, tu dois me croire. Une dernière fois, je t'en supplie, fais-moi confiance.

J'ai envie de te parler de la cicatrice du garçon aux cheveux blancs. Mais je me retiens. C'est sûrement par dépit amoureux qu'il m'a raconté un truc pareil. Son histoire est digne d'un film d'horreur. Il a dû lire trop de bouquins policiers.

Cette nuit-là, c'est moi qui fais des cauchemars. Je rêve que je suis poursuivie par un monstre sans tête.

***

Le lendemain, le ciel est gris. C'est la première fois que je vois les nuages depuis longtemps. Nous décidons de reprendre le chemin de la rivière. C'est notre endroit de paix. Notre bulle d'air. Notre monde parallèle. Peut-être que je vais revoir Romain.

Comme la dernière fois, tu as retrouvé un visage reposé. Tu parles gaiement ; tu es attentionnée et délicate. L'orage t'a quittée, mais je reste sur mes gardes.

Romain n'est pas là. Nous pêchons des truites et décidons de les emporter pour les manger. Tu dis :

– Je connais une excellente recette. Avec des amandes et du miel, hum, un régal !

Je prends un air dégoûté :

– Mais qui va les vider ?

– Moi, pardi ! Avec un père chirurgien, je devrais m'en sortir comme un chef, non ?

Je guette une ombre dans tes yeux. Mais ton sourire est franc, sans arrière-pensée. Je soupire.

***

Le jour d'après, la pluie a lavé le ciel et rafraîchi l'atmosphère. Je m'aperçois que la chaleur me pesait et m'empêchait de respirer. Je revis.

Quand nous arrivons, Romain est en train de sculpter le bois avec son canif. Tu lances :

– Excuse-moi, pour la dernière fois ! J'étais pas dans mon état normal.

Romain sourit :

– Parce que tu peux être dans ton état normal ?

Tu te crispes.

– Hé, je blague, dit Romain. C'est déjà oublié !

Tu sors ton cahier bleu de ton sac et t'assieds au pied d'un arbre. C'est ce que tu feras désormais, chaque jour.

Pendant ce temps, Romain m'entraîne un peu plus loin. Dans son sac kaki, il attrape une dizaine de petites figurines taillées. Les visages délicats se détachent de l'écorce. On dirait qu'ils sont vivants.

– C'est toi qui as fait ça ?

Il hoche la tête :

– Depuis que je suis petit, je m'intéresse aux Aztèques. Chez moi, j'ai des centaines de bouquins sur leur civilisation, leurs rites. Ça me fascine. C'est pour me rapprocher d'eux que je taille le bois.

Il attrape la plus petite sculpture, la seule en forme de totem et me la tend :

– Tiens, c'est pour toi. Elle te portera bonheur.

Je ne sais pas quoi dire. J'ai envie de me jeter à son cou, mais mes muscles sont paralysés. Alors je dis simplement :

— Merci, Romain.

Et je rougis jusqu'aux oreilles.

Au début, je ne comprends pas pourquoi il me regarde d'une drôle de manière. Pourquoi, parfois, sa respiration s'accélère quand il est près de moi.

Un jour, il prend ma main :

— Tu sais, je t'aime bien, Blanche.

Je regarde sa bouche. J'ai envie de poser la mienne dessus et d'appuyer de toutes mes forces. J'ai envie de connaître le goût de sa langue.

À la place, je dis :

— Et Violette, tu l'aimes bien, elle aussi ?

— Violette, euh… c'est différent. Elle a un grain, cette fille, non ?

Je n'ai pas envie de te défendre. Est-ce un premier signe de mon éloignement ? Est-ce que ça signifie que quelque chose est cassé entre nous ?

— Elle est… comment dire… spéciale !

Romain caresse mon front. C'est la première fois qu'il fait ça.

— C'est toi, Blanche, qui es spéciale. Très spéciale.

Romain m'embrasse. Un long baiser doux et chaud. Sa langue a le goût du citron. Je voudrais que cet instant dure toujours. Je voudrais me rouler dans l'herbe avec lui et disparaître sous la terre. Je voudrais me fondre en lui et qu'il se fonde en moi. Je voudrais qu'on ne se quitte plus.

Le soir dans la chambre, tu demandes :
– Romain t'a embrassée ?
Ta voix est bienveillante.
– Oui ! Et je te jure que demain, il recommencera !

***

Le lendemain, Romain nous invite chez lui.
– J'habite juste derrière ce petit chemin.
Il tend le bras vers un enchevêtrement de ronces.
Tu éclates de rire :
– Eh t'es fou ! On n'a pas fait notre service militaire, nous !
Nous nous faufilons dans un petit passage à travers les broussailles et nous débouchons sur un grand pré inondé de lumière.
– C'est là ! dit Romain en nous entraînant.
Sa maison est en pierres rouges. De la grange attenante, nous parviennent des coups de marteau.
– C'est rien, c'est mon père ! dit Romain en riant.
Un homme imposant, au visage rond et à la moustache fournie, surgit de la grange.
– Comment ça, « rien » ? Ton père ? « Rien ? »
Il se jette sur son fils en riant et en lui tambourinant le dos. Je pense à mon père et je sens un pincement dans

mon cœur. Soudain, j'ai envie d'être chez moi, dans le bruit et le bazar. Je sens des larmes qui me piquent les yeux. J'ai envie de retrouver ma famille, mon cocon.

– Ça vous dit de goûter le cidre de la propriété ? demande soudain le père de Romain en nous poussant vers la maison.

Je fronce les sourcils et te jette un regard. Tu réponds avec aplomb :

– Je n'aime pas l'alcool. Mais si vous avez du jus de pomme, ce sera avec plaisir…

Et tu fais ton sourire charmeur. À cet instant, tu redeviens un aimant. Le soleil se reflète dans tes yeux dorés et tes cheveux dansent autour de tes joues bronzées. Même Romain est scotché. Je lui prends la main et pose un baiser furtif au coin de sa bouche.

Après le jus de pomme, le père de Romain nous fait visiter son atelier. Il est sculpteur. Il récupère des vieux objets et les transforme. Je tombe raide dingue d'une commode faite dans un tambour de machine à laver et d'une douche fabriquée avec un vieux téléphone. Ca me donne envie d'arrêter le dessin et de me mettre à la sculpture. J'ai envie de quelque chose de moins plat. Envie de bidouiller de la ferraille. Je crois que les vacances chez toi, Violette, sont en train d'élargir mon horizon.

Après une partie de ping-pong, nous retournons tous les trois à la rivière. Et tu tiens parole. Tu nous laisses tisser notre toile d'amoureux. À l'abri de ton regard. Tu te fais discrète. Tu ne manifestes aucune forme de jalousie. Parfois, tu restes toute seule sans nous faire aucun reproche. Romain et moi éprouvons le besoin de nous parler, de nous toucher. J'ai envie de tout savoir sur lui, sur son père, sur sa mère. Sa mère est photographe. En ce moment, elle est en Mauritanie. Romain dit qu'elle lui manque moins depuis qu'il me connaît.

***

Un matin, nous nous levons, réveillées par la chaleur du soleil. La veille, nous avons oublié de fermer les volets de bois qui nous protègent habituellement de la lumière du jour. Nous sentons tout de suite que la journée sera chaude, encore plus chaude que les jours précédents.

Ta grand-mère est en train de coudre de la dentelle sur un chapeau. Elle nous embrasse tendrement. Son sourire est plus large ces derniers temps. Nous coupons le pain pour les sandwiches et filons à la rivière.

Romain est déjà là. Il porte un bob blanc et il est torse nu. Je sens une vague de chaleur dans mon ventre.

Je me jette sur lui, l'embrasse avec gourmandise. Tu m'éclabousses mais l'eau du ruisseau ne nous rafraîchit même plus. Nous plongeons nos lignes dans l'eau trouble et les poissons mordent aussitôt à l'hameçon. Nous prenons dix truites en un temps record.

Nous sommes tous les trois ensemble et nous rions. Parfois, Romain caresse mes cheveux et tu me lances un clin d'œil complice. Tes accès de rage semblent loin derrière nous. Un mauvais et vieux souvenir. Aucune ombre ne passe plus dans tes yeux. Je me demande dans quelle partie de toi tu as remisé ton chagrin. S'est-il envolé avec ton secret ? Je m'aperçois maintenant que c'est ce que je voulais croire.

Romain et toi avez trouvé un terrain d'entente. Moi, peut-être. Tout simplement. Je suis le seul lien entre vous.

Toujours est-il que vous communiquez… gentiment. On peut dire ça comme ça.

***

Et puis, l'événement se produit.

Nous venons de finir de pique-niquer. Ta grand-mère nous avait préparé du poulet rôti froid que nous avons partagé avec Romain. Il y a même du café dans le thermos. Ta gentille grand-mère pense à tout. Ta gentille grand-mère t'aime, même si tu penses le contraire. Elle t'aime autant qu'elle peut t'aimer, avec tes angles pointus. Ce n'est pas facile pour elle. Mais elle essaie. J'en suis témoin.

Je viens de poser ma tasse en plastique sur l'herbe. Je me lève pour tenter de me rafraîchir un peu, dans l'eau tiède de la rivière. Soudain, tout se met à tourner autour de moi. Romain et toi entamez une danse endiablée. Le ciel et la terre se mélangent. Je sens que je pars en arrière. J'essaie de m'accrocher à quelque chose, mais il n'y a que de l'air chaud tout autour. Mes jambes ne répondent plus. Je sens que mes yeux glissent derrière mes paupières. Puis, un grand voile blanc se déchire. Et plus rien.

Quand je reprends conscience, je suis dans les bras de Romain. Nous sommes sur le chemin de la maison. Il me porte et je sens les secousses de ses pieds qui heurtent les pierres.

Tu marches devant nous. Ta voix tremble et s'affole :

– Blanche, tu m'entends ? Comment tu te sens ? Tu as mal quelque part ? Mais enfin, réponds !

Je tente d'articuler quelques mots, mais rien ne sort de ma bouche pâteuse. Je n'ai pas mal. J'ai juste l'impression de voler.

Romain me pose sur mon lit. Ta grand-mère se penche sur moi :

– Je viens d'appeler le médecin, Blanche. Il arrive tout de suite. Tenez bon.

Je voudrais la remercier, lui dire de ne pas s'inquiéter, mais je flotte et retombe dans l'inconscience.

Le médecin m'examine. Il prend ma tension. Je lui dis que j'ai très mal à la tête, que j'ai envie de vomir, mais que je n'y arrive pas. Il diagnostique une insolation. Il me prescrit du repos et des bains frais pour me réhydrater.

5. L'accident

Les jours suivants sont brumeux. Je n'ai pas beaucoup de souvenirs. Romain vient me voir. Il me prend la main, m'embrasse sur le front. Pas sur la bouche. Il a peur de me casser. Il dit que je suis comme un pantin fragile et que je dois me retaper.

Tu restes auprès de moi, me donnes à boire, m'apportes des gants d'eau fraîche que tu me passes délicatement sur les bras et les jambes, sur les joues et les yeux. Tu me lis des histoires, récites les dialogues que nous avons joués ensemble au collège, inventes des récits de princesses. Tu t'occupes de moi avec tant d'énergie.

Je retrouve ma meilleure amie.

Mais au bout de trois jours, je ne parviens toujours pas à me lever. J'ai des vertiges dès que je pose le pied par terre.

Ta grand-mère est inquiète. Elle décide de rappeler le médecin qui me fait une prise de sang.

– Ce n'est pas normal, dit-il. Nous en saurons plus demain, dès que nous aurons les résultats.

Ce soir-là, pendant que j'oscille entre somnolence et inconscience, tu me parles de Justine. Justine est au collège avec nous. J'ai cru comprendre que vous aviez été amies, autrefois.

Ta voix est lointaine, comme étouffée. Je suis dans le brouillard et me concentrer me demande beaucoup d'efforts. J'écoute ta voix ; elle me berce.

– J'aimais beaucoup Justine. C'était ma meilleure amie.

Meilleure amie. Ces deux mots imprègnent mon cerveau.

– Je lui faisais une confiance aveugle. C'était la première fois que je donnais ma confiance aveugle à quelqu'un. Et elle l'a trahie. Elle m'a laissée tomber, dès qu'elle a su pour ma maladie. C'était l'été, il y a deux ans. Elle est venue ici. Elle est repartie au bout de quelques jours. Je me suis sentie sale, crado, moche, moisie, pourrie. Comme un déchet. Abandonnée.

Je flotte. Entre le sommeil et le rêve. Ta voix se fait hargneuse :

– Mais elle n'a rien perdu pour attendre. Aujourd'hui, elle a ce qu'elle mérite.

Dans le brouillard de mon demi-sommeil, je distingue Justine, dans son fauteuil roulant. Justine et son petit sourire pâle. Justine et son envie de vivre, malgré tout.

Je tente de me redresser. Est-ce que j'ai rêvé ? Est-ce que j'ai bien entendu ? Tu as dit : « Elle a ce qu'elle mérite ! » Qu'est-ce que ça veut dire exactement ?

Est-ce que tu as attenté à la vie de Justine ? Est-ce à cause de toi qu'aujourd'hui, la pauvre vit sur des roulettes ?

Je te regarde à travers mes paupières mi-closes. Je crois deviner ton sourire. Et il me fait froid dans le dos. Tu n'as plus le même visage. Tes yeux dorés sont devenus deux lacs froids. Ta bouche est une grimace tordue. Même ton front est froissé. Tes joues sont méchantes et tes mains criminelles.

Je voudrais crier, appeler au secours. Qu'on vienne me chercher, me délivrer, qu'on m'emmène loin de toi.

Tu t'approches et me tends un verre.

– Bois !

Je fais non de la tête. Je me tords dans tous les sens pour essayer de t'échapper.

– Blanche, tu n'es pas raisonnable ! Si tu continues, tu seras complètement déshydratée. Et je ne voudrais surtout pas qu'il t'arrive quelque chose à cause de moi.

L'eau entre dans ma bouche et glisse dans ma gorge. Je pense au ruisseau tiède, aux poissons morts, aux truites aux amandes et au miel. Je te vois dans la cour du collège, danser, rire et briller. Tous les yeux sont fixés sur toi. Toi si belle, si lumineuse.

Je te regarde une dernière fois, avant de m'évanouir.

Le médecin est penché sur moi. Nous sommes seuls dans la chambre :

– Je dois vous poser une question, Blanche.

Il se racle la gorge.

– Est-ce que vous prenez des médicaments ?

Ma bouche est si sèche que je ne peux plus parler. Je tourne la tête.

– Nous avons retrouvé des traces importantes de calmants dans votre sang.

Je tourne la tête à nouveau.

Je dois à tout prix trouver un moyen de lui parler. De lui dire. Je lève le bras. J'ai l'impression de soulever un poids d'une tonne. Je tente de mimer le stylo avec mes doigts. Je veux écrire pour qu'il sache. Mais manifestement, il ne comprend pas.

Il sort de la chambre. La porte se referme sur ma prison.

Je me retrouve seule. Des larmes sortent de mes yeux. Je les sens dévaler mes joues.

Soudain, la porte s'ouvre et ta grand-mère apparaît. Elle est livide :

– J'ai appelé votre père. Il vient vous chercher.

Mes yeux tournent dans tous les sens. Il va mettre dix heures pour rejoindre la Provence. D'ici là, je serai morte !

– Ne vous inquiétez pas, dit ta grand-mère. Je ne vous quitterai pas, jusqu'à votre départ.

Ta grand-mère tient parole. Elle ne quitte plus mon chevet. Elle reste là, à regarder le mur. Ses yeux sont deux poissons morts.

***

Je ne te reverrai pas avant mon départ. Où es-tu ? Que fais-tu à ce moment-là ? Je ne le saurai jamais.

Je quitterai la propriété de ta grand-mère sans revoir Romain non plus. Mais je porte toujours autour du cou le petit médaillon sculpté qu'il avait laissé pour moi dans la boîte aux lettres, avec des mots doux et des fleurs séchées. Notre histoire ne fait que commencer. Nous nous reverrons, ailleurs qu'ici, dans cette Provence trop chaude.

Quand mon père m'emmène, je regarde la maison devenir un petit point sur l'horizon. Je suis vivante, mais une part de moi a disparu dans cette maison. Je ne donnerai plus ma confiance ni mon amitié avant longtemps. Violette, tu m'as appris la méfiance.

Grâce à tes aveux, nous avons reconstitué ce qui s'est passé. Chaque soir, pendant deux semaines, tu mettais des cachets d'anxiolytique dans ma tisane. Tu m'en donnais trois. Pas un de plus, pas un de moins.

Très vite, une question se met à m'obséder, m'empêchant de dormir et de vivre : sans relâche, je me demande quelle était ta véritable intention. Me faire du mal, me tuer, ou me garder plus longtemps près de toi ? Pour moi, c'est important de savoir. De comprendre pour pouvoir tourner la page.

***

C'est en venant te voir à l'hôpital que j'aurai la réponse.

Ta chambre n'est pas plus grande qu'une cellule de bonne sœur. Il n'y a pas de fenêtre et la porte est fermée par trois gros verrous. Tu portes un grand pyjama blanc, une sorte de kimono mais sans ceinture. Tu n'as ni collier, ni bracelet. Pas de chaussures à lacets non plus.

Tu sembles perdue dans cet univers blanc. Toi, Violette.

Tu ne parles pas beaucoup. Tu me regardes surtout. Nous n'avons plus rien à partager.

Je devais venir. Pour te dire que je ne porterai pas plainte contre toi. Pour te dire que je te pardonne parce que tu es malade. Pour continuer à vivre ma vie, je ne pouvais pas te haïr.

Tes yeux mordorés n'ont plus de couleur. Tes joues rosées sont presque transparentes. Tu n'as plus d'éclat, la lumière t'a quittée, remplacée par l'ombre. L'ombre violette sous tes yeux. Comme deux petites poches de larmes.

Je te revois dans le train qui nous emmenait en Provence, dans ta robe jaune, riant. Puis chez ta grand-mère, m'apprenant à pêcher. Je revois nos parties de chatouilles le matin dans le lit et j'entends ton rire clair comme un grelot. Cette Violette-là a disparu, échangée contre une silhouette pâle. C'est comme si tu n'existais plus.

Quand je te quitte, tu me tends un petit cahier bleu. Je le reconnais tout de suite. C'est ton journal intime. Il est plus abîmé que dans mon souvenir. Plus pâle aussi.

– Tiens, Blanche, c'est pour toi.

Ta voix est toute petite. Tes mots sont pâteux. Tu es shootée aux médicaments. Je ne sais pas comment j'y arrive, mais je touche ta joue. Puis je prends le cahier. Et je m'en vais.

Je ne te reverrai jamais.

***

Assise dans le bus, je regarde la couverture bleue délavée. Je caresse le papier épais.

Je te revois, au bord du ruisseau, noircir rageusement les pages, comme si ta vie en dépendait. Comme si plus rien n'avait d'importance en dehors de ces mots. Alors que disent ces mots ? Que disent ces pages ? Est-ce que je veux vraiment le savoir ? Est-ce que tes mots vont me soulager ou m'exploser à la figure ?

J'hésite longtemps avant de l'ouvrir. Je regarde le paysage qui défile par la fenêtre. Le monde est là, vivant. Les gens marchent, courent, se pressent. J'ai quatorze ans et la vie devant moi. Je dois savoir.

Doucement, je soulève la couverture. L'écriture est penchée, serrée. L'encre est noire. Je peux encore sentir son odeur.

Les mêmes mots sont écrits. Partout. Sur toutes les pages. Ils sont les mêmes. Ils se répètent à l'infini. Pendant des jours et des jours, accrochée à ton stylo noir, tu écrivais la même phrase :

Je voudrais être Blanche.

Ouvrage réalisé par
Cédric Cailhol Infographiste.

Reproduit et achevé d'imprimer
par l'Imprimerie France-Quercy à Mercuès
en avril 2013.

Dépôt légal : mai 2013
N° d'impression : 30472/
ISBN : 978-2-8126-0523-9

Imprimé en France.